AS SETE LEIS
ESPIRITUAIS
DO SUCESSO

DEEPAK CHOPRA

AS SETE LEIS ESPIRITUAIS DO SUCESSO

Um guia prático para a realização de seus sonhos
Baseado em *Criando prosperidade*

Tradução
Vera Caputo

57ª EDIÇÃO

EDITORA BEST SELLER

CIP-Brasil. Catalogação-na-fonte
Sindicato Nacional dos Editores de Livros, RJ.

Chopra, Deepak, 1946-

C476s   As sete leis espirituais do sucesso / Deepak Chopra; tradução: Vera
57ª ed.   Caputo. – 57ª ed. – Rio de Janeiro: Best*Seller*, 2010.

Tradução de: The seven spiritual laws of success
ISBN 978-85-7684-400-6

1. Sucesso – Aspectos religiosos. 2. Sucesso nos negócios – Aspectos
religiosos. 3. Riqueza – Aspectos psicológicos. I. Título.

CDD – 650.1
05-2589   CDU – 65.011.4

Texto revisado segundo o novo Acordo Ortográfico da Língua Portuguesa

Título original norte-americano
THE SEVEN SPIRITUAL LAWS OF SUCCESS
Copyright © 1994 by Deepak Chopra, M. D.

Publicado originalmente nos Estados Unidos em 1994 por
Amber-Allen Publishing e New World Library, San Rafael, Califórnia, EUA.

Capa e projeto gráfico de miolo: Miriam Lerner
Editoração eletrônica: DFL

Direitos exclusivos de publicação em língua portuguesa
para o Brasil adquiridos pela
EDITORA BEST SELLER LTDA.
Rua Argentina, 171, parte, São Cristóvão
Rio de Janeiro, RJ – 20921-380
que se reserva a propriedade literária desta tradução

Impresso no Brasil

ISBN 978-85-7684-400-6

"O que for a profundeza do teu ser, assim será teu desejo.
O que for o teu desejo, assim será tua vontade.
O que for a tua vontade, assim serão teus atos.
O que forem teus atos, assim será teu destino."
— *Brihadaranyaka Upanishad IV, 4.5*

SUMÁRIO

INTRODUÇÃO

E mbora este livro tenha como título *As sete leis espirituais do sucesso*, ele também poderia chamar-se *As sete leis espirituais da vida*, porque são estes os princípios seguidos pela natureza para criar tudo o que existe na Terra — tudo o que podemos ver, ouvir, cheirar, provar, tocar.

Em meu livro *Criando prosperidade* esbocei os passos da riqueza consciente baseada na real compreensão da ação da natureza. *As sete leis espirituais do sucesso* constituem a essência desse ensinamento que, uma vez incorporado à consciência, pode fazer você criar riquezas ilimitadas sem nenhum esforço e experimentar o sucesso em todas as suas realizações.

O sucesso na vida poderia ser definido como a expansão contínua da felicidade e a realização progressiva de objetivos compensadores. Por outro lado, o sucesso, que inclui a geração de riquezas, só é considerado possível com a participação de outras pessoas. É preciso que se abordem o sucesso e a abundância espiritualmente, como o constante fluxo de todas as coisas boas em sua direção. Com o conhecimento e a prática da lei espiritual, colocamo-nos em harmonia com a natureza e criamos sem ansiedade, com alegria e amor.

São muitos os aspectos do sucesso; os bens materiais são apenas um de seus componentes. Além disso, o sucesso é a jornada, não o destino. A abundância material, em todas as suas expressões, é um dos fatores que tornam a jornada mais prazerosa. Mas o sucesso inclui saúde, energia, entusiasmo pela vida, relacionamentos compensadores, liberdade criativa, estabilidade física, emocional, bem-estar e paz de espírito.

Mesmo que tenhamos a experiência de tudo isso, permaneceremos insatisfeitos se não cultivarmos as sementes da divindade em nosso interior. Na realidade, somos uma divindade disfarçada, somos embriões de deuses e deusas que, contidos em nosso ser, buscam a plena materialização. O verdadeiro sucesso é, por isso, a experiência do milagre. É a divindade se abrindo em nosso interior. É percebermos essa divindade em toda parte, em tudo o que experimentamos – no olhar de uma criança, na beleza de uma flor, no voo de um pássaro. Quando passarmos a experimentar a vida como a expressão milagrosa da divindade – não de vez em quando, mas o tempo todo –, saberemos o que significa verdadeiramente o sucesso.

DEEPAK CHOPRA

Antes de definir as sete leis espirituais, vamos entender o conceito de lei. Lei é o processo pelo qual o não manifesto torna-se manifesto. É o processo pelo qual o observador torna-se o observado; aquele que vê se transforma no cenário; o sonhador evidencia o sonho.

Toda a criação, tudo o que existe no mundo físico, é resultado do não manifesto transformando-se em manifesto. Tudo o que contemplamos vem do desconhecido. Nosso corpo físico e o universo físico – tudo o que podemos perceber pelos sentidos – são transformações do não manifesto, do desconhecido, do invisível, em manifesto, conhecido, visível.

O universo físico nada mais é que o Eu desdobrando-se para experimentar-se como espírito, mente, matéria. Em outras palavras, todos os processos da criação são processos por meio dos quais o Eu, a divindade, se expressa. A consciência em movimento se expressa como os objetos do universo na eterna dança da vida.

A fonte de toda a criação *é* a divindade (o espírito). O processo da criação é a divindade em movimento (a mente). O objeto da criação é o universo físico (inclusive o corpo).

Esses três componentes da realidade – espírito, mente e corpo (observador, ato de observar e observado) – são, essencialmente, a mesma coisa. Todos eles vêm do mesmo lugar: o reino da potencialidade pura, que é basicamente não manifesto.

As leis físicas do universo, na verdade, representam esse processo da divindade em movimento, ou a consciência em movimento. Quando compreendemos essas leis e as aplicamos em nossas vidas, qualquer coisa que desejamos pode ser criada, porque as mesmas leis que a natureza utiliza para criar uma floresta, uma galáxia, uma estrela, um corpo humano podem realizar nossos desejos mais profundos.

Agora passemos às *sete leis espirituais do sucesso* para aprender como aplicá-las em nossas vidas.

I

A LEI DA
POTENCIALIDADE PURA

*A fonte de toda a criação é a conscientização pura..
a potencialidade pura, que busca expressar-se do
não manifesto ao manifesto...*

*E quando descobrimos que nosso verdadeiro
Eu é potencialidade pura, alinhamo-nos
à força que coordena tudo no universo*

No princípio

Não havia existência ou inexistência

O mundo era energia não revelada...

ELE vivia, sem viver, por SEU próprio poder

E nada mais havia...

— *Hino da Criação*, Rig Veda

A primeira lei espiritual do sucesso é a *lei da potenciali-dade pura*. Essa lei se apoia no fato de que somos, essencialmente, consciência pura. Consciência pura significa potencialidade pura. Trata-se de nossa essência espiritual. É o campo de todas as possibilidades e da criatividade infinita. Ser infinito e ilimitado é pura satisfação. Outros atributos da conscientização são o conhecimento puro, o silêncio infinito, o equilíbrio perfeito, a invencibilidade, a simplicidade, a felicidade. Essa é a nossa natureza essencial, que é potencialidade pura. Quando você a descobre, quando sabe quem realmente é, encontra toda a sua potencialidade.

É no *conhecer-se* que reside a capacidade de realização de todos os sonhos, porque você mesmo representa a possibilidade eterna, a imensurável potencialidade de tudo o que foi e poderá vir a ser. A *lei da potencialidade pura* também poderia ser chamada de *lei da unidade,* pois, sob a diversidade infinita da vida, encontra-se a *unidade* do espírito da pessoa. Não existe separação entre você e esse campo de energia. O campo da potencialidade pura é o próprio Eu. E quanto mais você busca a sua verdadeira natureza – o próprio Eu –, mais se aproxima do campo da potencialidade pura.

Na experiência do Eu, chamada autorreferência, nosso ponto de referência interior é o espírito, e não aquilo que nos rodeia. Seu oposto é o objeto-referência, cujo ponto de referência interior é o ego. Na experiência do objeto-referência, deixamo-nos influenciar pelo que acontece fora de nossa natureza interior: por situações, circunstâncias, pessoas, coisas. Nesse estado, buscamos incessantemente a aprovação dos outros: nossos pensamentos e comportamentos antecipam-se a toda resposta, porque fundamentam-se no medo. No objeto-referência, nossa tendência é querer controlar as coisas, ter necessidade do poder externo. Todas essas situações – necessidade de aprovação, de poder externo, de controle das coisas – estão baseadas no medo. Esse tipo de força não é a da potencialidade pura,

DEEPAK CHOPRA

o poder do Eu, o poder *real*. Se experimentamos o poder do Eu, não há medo, não há compulsão para o controle, não há esforço para obter aprovação, ou para conseguir o poder externo.

No estado do objeto-referência, o ego está em primeiro lugar. Mas ele não expressa o que você realmente é. O ego reflete apenas sua autoimagem, sua máscara social, o papel que você representa. E sua máscara social necessita de aprovação, de controle, de apoio no poder, porque vive com medo.

Seu verdadeiro Eu – que é seu espírito, sua alma – está livre dessas necessidades. É imune à crítica. Não teme desafios. Não se sente inferior a ninguém. Mas também é humilde. Não se sente superior, porque reconhece que todas as pessoas representam o mesmo Eu, o mesmo espírito com diferentes faces.

Essa é a diferença essencial entre autorreferência e objeto-referência. Na autorreferência, você experimenta seu verdadeiro Eu, que não teme desafios, respeita todas as pessoas e não se sente inferior a ninguém. O autopoder é, portanto, o verdadeiro poder.

Já o poder assentado no objeto-referência é um falso poder. Por estar fundamentado no ego, ele existe enquanto existir o objeto de referência. Se você tem muito dinheiro, ou um título, um cargo importante – presidente de um país, presidente de uma empresa –, esse poder tão apreciado desaparecerá juntamente com o dinheiro, com o título, com o cargo. O poder baseado no ego, portanto, deixa de existir quando terminam essas situações. Assim que desaparecem – seja o título, o cargo, o dinheiro –, o poder também se esvai.

O autopoder, no entanto, é permanente, porque está fundamentado no conhecimento do Eu. Ele tem características próprias e atrai não só as coisas que você deseja, como as pessoas que possam lhe interessar. Magnetiza as pessoas, as situações e as circunstâncias que alimentam seus sonhos, apoiando-se nas leis naturais. É também o suporte da divindade que se encontra num ser em estado de graça. Esse poder é tão intenso que você encontra prazer em se ligar às pessoas e elas a você. É o poder do vínculo originado do amor verdadeiro.

Como é possível aplicar a *lei da potencialidade pura*, o campo de todas as possibilidades, em nossa vida rotineira? Se você deseja desfrutar os benefícios do campo da potencialidade pura, se quer fazer pleno uso da criatividade, que é inerente à consciência pura, precisará ter acesso a ela. Uma forma de conseguir isso é se entregar diariamente a momentos de silêncio, praticar a meditação, evitar julgamentos. Viver em contato com a natureza é outra maneira

DEEPAK CHOPRA

de ter acesso às qualidades inerentes a esse campo: a infinita criatividade, a liberdade, a felicidade.

Praticar o silêncio significa assumir o compromisso de reservar uma certa quantidade de tempo para simplesmente ser. Experimentar o silêncio representa afastar-se periodicamente da atividade da fala e também de atividades como assistir à televisão, ouvir um rádio, ler um livro. Se você nunca se entregar à experiência do silêncio, estará provocando turbulência em seu diálogo interior.

Sempre que possível, reserve algum tempo para experimentar o silêncio. Ou assuma o compromisso de manter o silêncio durante um certo período, diariamente. Poderia fazê-lo por duas horas, por exemplo. Se isso lhe parecer muito, faça-o por uma hora apenas. Mas tente sempre aumentar este tempo, experimentar o silêncio por um tempo cada vez maior, um dia inteiro, dois dias, uma semana.

O que acontece quando você entra na experiência do silêncio? No início, seu diálogo interior fica mais turbulento. Você sente uma necessidade intensa de dizer coisas. Conheci pessoas que ficavam completamente loucas nos primeiros dias em que se comprometiam a estender o período de silêncio. Eram tomadas por uma sensação de urgência e ansiedade. Mas, quando persistiam na experiência, seu diálogo interior começava a se aquietar. E o silêncio logo se tornava profundo. Isso acontece porque depois de um tempo a mente desiste. Ela se dá conta de que não adianta ficar dando voltas e voltas se *você* – o Eu, o espírito – não vai falar e ponto final. Então, quando o diálogo interior silencia, você começa a experimentar a quietude do campo da potencialidade pura.

Praticar periodicamente o silêncio da forma que lhe for conveniente é uma maneira de experimentar a *lei da potencialidade pura*. A meditação é outra. O ideal seria que você meditasse pelo menos trinta minutos pela manhã e trinta minutos à noite. Pela meditação, você aprende a experimentar o campo do silêncio puro e da percepção pura. Nesse campo do silêncio puro, está o campo da correlação infinita, o campo do infinito poder de organização, o supremo terreno da criação, onde todas as coisas estão inseparavelmente conectadas a tudo o que existe.

Na quinta lei espiritual, a *lei da intenção e do desejo,* você verá como é possível inserir um leve impulso de intenção neste campo, para que seus desejos surjam espontaneamente. Mas antes você precisa experimentar a quietude, que é o primeiro requisito para que seus desejos se manifestem. Ela o transporta ao campo da potencialidade pura com infinitas possibilidades de realização.

Imagine-se atirando uma pedrinha num lago tranquilo e observando as ondas que se formam. Momentos depois, quando as ondas cessam, você atira outra pedra. É exatamente o que fazemos quando entramos no campo do silêncio puro e introduzimos uma intenção. No silêncio, a intenção mais remota espalha ondas sobre o leito da consciência universal, que interliga todas as coisas. Mas, se você não experimentar a quietude da consciência, se sua mente continuar como um oceano turbulento, pode colocar o edifício Empire State dentro dela que nem vai notar. Na Bíblia, encontramos a seguinte frase: "Fique em silêncio, sinta a Minha presença e saiba que eu sou Deus". Isso só se consegue por meio da meditação.

Outra maneira de acessar o campo da potencialidade pura é por meio do não julgamento. Julgar é estar constantemente avaliando as situações como certas ou erradas, boas ou más. Se você está constantemente avaliando, classificando, rotulando, analisando, cria muita turbulência em seu diálogo interior. Essa turbulência restringe o fluxo de energia entre você e o campo da potencialidade pura. Literalmente, você diminui o "espaço vazio" entre os pensamentos.

É por intermédio desse espaço vazio que você se liga ao campo da potencialidade pura. É esse estado de percepção pura, esse espaço silencioso entre os pensamentos, essa quietude interior que põe você em contato com o poder verdadeiro. Se você diminuir esse espaço, estará restringindo a sua conexão com o campo da potencialidade pura e da criatividade infinita.

Há uma oração que diz: "Hoje não julgarei nada que aconteça." O não julgamento cria silêncio em sua mente. É uma boa ideia, portanto, começar o dia com essa frase e, durante o dia, lembrar dela toda vez que se vir julgando alguma coisa. Se achar difícil fazer isso durante todo o dia, pelo menos se comprometa a não julgar nada "nas próximas duas horas", ou "durante uma hora". Depois, gradualmente, vá aumentando esse tempo.

Pelo silêncio, pela meditação, pelo não julgamento, você terá acesso à primeira lei, a *lei da potencialidade pura*. Quando conseguir isso, poderá acrescentar um quarto componente a essa prática: o contato direto com a natureza, seja em um riacho, uma floresta, uma montanha, um lago, uma praia. Essa comunhão com a natureza o levará a uma interação harmoniosa com todos os elementos das forças vitais e lhe dará a sensação de união com todas as coisas vivas. Ela permitirá, também, o acesso ao campo da potencialidade pura.

Você precisa aprender a entrar em contato com a mais profunda essência de seu ser. Ela está além do ego, é isenta de medo, livre, imune à crítica, não teme qualquer desafio. Não é inferior nem superior a ninguém, é pura magia, mistério, encantamento.

O acesso à sua verdadeira essência também lhe dará uma pista sobre os seus relacionamentos, que nada mais são que reflexos do relacionamento que você tem consigo mesmo. Por exemplo, se você sente culpa, medo, insegurança em relação ao dinheiro, ao sucesso, ao que for, isso é reflexo de aspectos básicos de sua personalidade, aspectos de culpa, medo e insegurança. Nenhuma quantia de dinheiro ou parcela de sucesso resolverá esses problemas básicos de sua vida. Somente a intimidade com o seu verdadeiro Eu permitirá superar tais problemas. Quando você conhece bem seu verdadeiro Eu, quando compreende realmente a sua verdadeira natureza, não sente culpa, nem medo, nem insegurança, seja em relação a dinheiro, abundância, ou realização dos desejos, pois sabe que a essência de todos os bens materiais é energia vital, é potencialidade pura, a qual, por sua vez, é a sua natureza intrínseca.

Quanto mais você acessa a sua verdadeira natureza, mais espontaneamente aparecem os pensamentos criativos, porque o campo da potencialidade pura também é o campo da criatividade infinita e do conhecimento puro. Franz Kafka, filósofo e poeta austríaco, disse certa vez: "Você não precisa sair de seu quarto. Fique sentado diante da mesa e ouça. Não precisa nem ouvir, simplesmente espere. Não precisa nem esperar, aprenda somente a ficar quieto, silencioso, solitário. O mundo se oferecerá espontaneamente a você para ser descoberto. Ele não tem outra escolha senão jogar-se em êxtase a seus pés."

A riqueza do universo – a sua visível abundância – é uma expressão do poder criativo da natureza. Mas primeiro você tem de superar a turbulência de seu diálogo interior para entrar em contato com esse abundante, pródigo e infinito poder. Só então criará a possibilidade de uma atividade dinâmica e terá consigo a quietude da mente eterna, ilimitada e criativa. Essa requintada combinação de mente silenciosa – ilimitada e infinita – com mente dinâmica – limitada e individual – estabelece um equilíbrio perfeito entre quietude e movimento simultâneos, o equilíbrio criador de tudo o que você quiser. A coexistência dos opostos – quietude e dinamismo ao mesmo tempo torna você independente das situações, das circunstâncias, das pessoas, das coisas.

Quando você compreende essa requintada coexistência, entra em alinhamento com o mundo da energia, o caldo quântico, a substância imaterial, que é a fonte do mundo material. O mundo da energia é fluente, dinâmico, elástico, mutável, eterno movimento. Ao mesmo tempo é imutável, quieto, tranquilo, silencioso, eterno repouso.

A quietude em si mesma é o potencial da criatividade. O movimento por si só é a criatividade restrita a certos aspectos de sua expressão. Mas a combinação do movimento com a quietude capacita você a desencadear sua criatividade em todas as direções – até onde o poder de sua atenção o possa levar.

Se a quietude acompanha sempre o movimento e a atividade, seja qual for a direção que você seguir, o movimento caótico ao seu redor não poderá impedir seu acesso ao reservatório da criatividade, ao campo da potencialidade pura.

Aplicação da lei da potencialidade pura

Você pode pôr a *lei da potencialidade pura* em ação assumindo o compromisso de dar os seguintes passos:

1) Entrar em contato com o campo da potencialidade pura, reservando um momento do dia para ficar em silêncio, para apenas ser. Ficar sozinho em meditação silenciosa pelo menos duas vezes ao dia, por, aproximadamente, trinta minutos pela manhã e trinta minutos à noite.

2) Reservar um período do dia para comungar com a natureza e observar em silêncio a inteligência que há em todas as coisas vivas. Ficar em silêncio e assistir ao pôr do sol, ouvir o ruído do oceano ou de um rio, ou simplesmente sentir o perfume de uma flor. No êxtase do silêncio, e em comunhão com a natureza, desfrutar a pulsação vital das eras, o campo da potencialidade pura e da criatividade ilimitada.

3) Praticar o não julgamento. Começar o dia dizendo: "Hoje, não julgarei nada que aconteça". Também é importante que, durante todo o dia você se lembre de não fazer julgamentos.

2
A LEI DA DOAÇÃO

O universo opera por meio de trocas dinâmicas...
dar e receber são diferentes aspectos do fluxo
da energia universal.

Em nossa própria capacidade de dar tudo aquilo que
almejamos, encontra-se a chave para atrair a abundância
do universo — o fluxo da energia universal — para
as nossas vidas.

Este frágil vaso que esvaziais dia após dia e que sempre preencheis com vida renovada. Esta pequena flauta de bambu que carregais pelas colinas e pelos vales e de onde tirais melodias eternamente novas.. Vossas infinitas dádivas caem sobre essas mãos tão pequenas que possuo. As eras passam e continuais derramando, pois ainda há o que ser preenchido.

— Rabindranath Tagore, *Gitanjali*

A segunda lei espiritual do sucesso é a *lei da doação*. Ela poderia também ser chamada de a *lei do dar e receber*, porque o universo opera por meio de trocas dinâmicas. Nada *é* estático. Por exemplo, seu corpo está em intercâmbio dinâmico e constante com o corpo do universo. Sua mente está interagindo constantemente com a mente do cosmos. Sua energia é a expressão da energia cósmica.

O fluxo da vida nada mais é do que a interação harmoniosa de todos os elementos e de todas as forças que estruturam o campo da existência. Essa interação harmoniosa opera pela *lei da doação*. Como o seu corpo, sua mente e o universo estão em interação constante e dinâmica, qualquer interrupção nessa circulação de energia significa o mesmo que cessar o fluxo do sangue. Se o sangue para de fluir, começa a coagular, estagnar. Por isso você tem necessidade de dar e receber. Essa troca é o que mantém a sua saúde e a afluência – do que for – circulando em sua vida.

A palavra afluência vem do verbo "afluir", que significa "correr para", "convergir". Esse termo tem o sentido de "corrente abundante", "fartura", "abundância de dinheiro". O dinheiro é, na verdade, um símbolo da energia vital que trocamos e utilizamos como consequência dos serviços que prestamos ao universo. Dinheiro também é chamado de "moeda corrente", expressão que reflete o fluxo natural de energia. Corrente vem da palavra latina *currere*, que significa "correr", "fluir".

Portanto, se interrompemos a circulação de dinheiro se nossa única intenção é segurar dinheiro e acumulá-lo –, interromperemos, também, sua circulação em nossas vidas, uma vez que ele é energia vital. Para que essa energia continue voltando para nós, temos de mantê-la circulando.

Como as águas de um rio, o dinheiro tem de fluir para não estagnar, para não sufocar sua força vital. A circulação o mantém saudável e energizado.

Da mesma forma, todo relacionamento depende de dar e receber. Dar engendra receber, receber engendra dar. O que sobe tem de descer. O que sai tem de voltar. Na reali-

DEEPAK CHOPRA

dade, receber é o mesmo que dar, porque dar e receber são aspectos diferentes do fluxo da energia universal. Se você interrompe o fluxo de um ou de outro, interfere na inteligência da natureza.

Toda semente traz em si a promessa de muitas florestas. Mas a semente não pode ser guardada. Ela precisa doar sua intrínseca capacidade de gerar ao solo fértil. Ao doar-se, seus fluxos vitais invisíveis manifestam-se materialmente.

Assim, quanto mais você dá, mais recebe, porque mantém a abundância do universo circulando em sua vida. De fato, tudo o que há de valioso na vida só se multiplica quando é dado. Aquilo que não se multiplica pela doação não tem valor, nem compensa ser recebido. Se, no ato de dar, você acha que está perdendo algo, aquele presente não foi realmente dado; portanto, não acrescentou nada. Se você dá de má vontade, não há energia por trás de seu ato.

O mais importante é a intenção que há por trás de dar e receber. A intenção deve ser a de provocar sempre alegria em quem dá e em quem recebe, porque a felicidade é sustentadora e provedora de vida. Por isso, ela acrescenta. O retorno é diretamente proporcional ao volume doado, quando é feito de forma incondicional e sincera. É por esse motivo que o ato de dar tem de ser prazeroso. A intenção por trás desse ato deve ser a do prazer de simplesmente dar. Só então a energia acumulada multiplica-se muitas vezes.

Praticar a *lei da doação é* muito simples. Se você quer alegria, dê alegria aos outros. Se deseja amor, aprenda a dar amor. Se procura atenção e apreço, aprenda a ofertá-los. Se quer bens materiais, ajude os outros a se tornarem ricos. A maneira mais fácil de obter o que se quer é ajudar os outros a conseguir o que querem. Este princípio se aplica igualmente a pessoas, empresas, sociedades e países. Se você almeja ser abençoado com todas as coisas boas da vida, aprenda a abençoar silenciosamente a todos com elas.

A mera ideia de dar, de abençoar, de oferecer uma *simples oração* tem o poder de afetar a vida dos outros. Isso acontece porque seu corpo, em seu estado essencial, é um feixe de energia localizada e de informação num universo de energia e informação. Somos feixes de consciência localizada num universo consciente. A palavra "consciência" implica mais do que energia e informação – implica energia e informação tão vivas quanto o pensamento. Por isso somos feixes de pensamentos num universo pensante. E o pensamento tem o poder de transformar.

A vida é a eterna dança da consciência expressando-se na troca dinâmica de impulsos inteligentes entre o micro e o macrocosmos, entre o corpo humano e o corpo universal, entre a mente humana e a mente cósmica.

Quando você sabe dar aquilo que procura, está ativando e coreografando a dança com movimentos primorosos, energéticos e vitais, que constituem a eterna pulsação da vida.

A melhor maneira de aplicar a *lei da doação* – de começar o processo de circulação de energia – é decidir que a qualquer momento você vai entrar em contato com outra pessoa, dando a ela alguma coisa. Não *é* preciso que sejam coisas materiais. Pode ser uma flor, um elogio, uma oração. Na verdade, as formas mais poderosas de dar são imateriais. As dádivas de carinho, atenção, afeto, apreço, amor são as mais preciosas e não custam nada. Quando você encontrar alguém, ofereça-lhe uma benção silenciosa, deseje felicidade, contentamento, alegrias. Esses presentes silenciosos são poderosos.

Um ensinamento que aprendi na infância, e que também transmiti a meus filhos, é não deixar de levar um presente quando visitar alguém. Você poderá pensar: "Como posso dar aos outros se agora não tenho nem para mim?" Na verdade, você poderá levar uma flor. *Uma* flor. Poderá levar um bilhete ou um cartão falando de seus sentimentos pelo dono da casa. Poderá levar um elogio ou até mesmo uma oração.

O importante é tomar a decisão de dar sempre, em todo lugar e a quem for. Ao dar, você também está recebendo. Quanto mais oferecemos aos outros, mais cresce a sua confiança nos efeitos milagrosos desta lei. E quanto mais você recebe, mais cresce a sua capacidade de dar.

Nossa verdadeira natureza é composta de riqueza e abundância. Somos naturalmente ricos porque a natureza supre todas as nossas necessidades e sustenta todos os nossos desejos. Nada nos falta, porque nossa natureza essencial é a da potencialidade pura e das possibilidades infinitas. Portanto, você precisa saber que já é inerentemente rico. Pouco importa quanto dinheiro tenha, porque a fonte da riqueza é o campo da potencialidade pura – é a consciência que sabe como satisfazer qualquer necessidade, incluindo a alegria, o amor, o riso, a paz, a harmonia, o conhecimento. Se você busca antes essas coisas – não só para si mesmo, mas para os outros –, muito mais virá até você espontaneamente.

Aplicação da lei da doação

Você pode colocar a *lei da doação* em movimento assumindo o compromisso de dar os seguintes passos:

1) Dar um presente em todo lugar onde for, a todos que encontrar. Esse presente poderá ser um cumprimento, uma flor, uma oração. Oferecer, diariamente, alguma coisa a todas as pessoas com as quais entrar em contato. Você estará, assim, desencadeando o processo de circulação de energia – de alegria, de riquezas, de abundância – em sua vida e na de outras pessoas.

2) Receber agradecido, diariamente, todas as dádivas que a vida oferece: a luz do sol, o canto dos pássaros, as flores, a neve do inverno. E estar aberto para receber dos outros, seja um presente material, seja dinheiro, seja um cumprimento, seja uma oração.

3) Assumir o compromisso de manter a riqueza circulando em sua vida, dando e recebendo os mais preciosos presentes: carinho, afeição, apreço, amor. Desejar, em silêncio, felicidade e muita alegria toda vez que encontrar alguém.

3
A LEI DO CARMA
OU DE CAUSA E EFEITO

*Toda ação gera uma força energética
que retorna a nós da mesma forma...
O que semeamos é o que colhemos.*

*E quando escolhemos ações que levam felicidade
e sucesso aos outros, o fruto de nosso carma
é a felicidade e o sucesso.*

Carma é a eterna afirmação da liberdade humana...

Nossos pensamentos, nossas palavras, nossos atos, são fios

de uma rede que tecemos ao redor de nós mesmos.

— Swami Vivekananda

A terceira lei espiritual do sucesso é a *lei do carma*. A palavra carma significa o conjunto das ações dos homens e suas consequências. É causa e efeito simultaneamente, porque toda ação gera uma força energética que retorna para nós da mesma forma.

É bem conhecido o ditado "você colhe aquilo que semeia". Portanto, não há nada de misterioso na *lei do carma*. Obviamente, se desejamos felicidade, precisamos aprender a semear felicidade. Carma implica, então, escolha e ação conscientes.

Tanto você quanto eu somos escolhedores infinitos. Em nossas vidas, a todo momento, entramos no campo de todas as possibilidades, onde temos acesso a uma infinidade de escolhas. Algumas são feitas conscientemente. Outras não. Portanto, a melhor maneira de entender e utilizar ao máximo a *lei do carma* é estar conscientemente alerta para as escolhas que fazemos a todo momento.

Quer você goste ou não, tudo o que está acontecendo neste momento é resultado de escolhas feitas no passado (uma vez que o carma define o nosso destino). Infelizmente, muitos fazem escolhas inconscientes e, por isso, acham que não são escolhas. Mas são.

Se eu o insulto, é provável que você escolha se ofender. Se eu lhe dirijo um cumprimento, é provável que você escolha sentir-se grato e envaidecido. Pense bem: é sempre uma escolha.

Eu posso insultá-lo e ofendê-lo e você escolher não se ofender. Da mesma maneira, posso lhe dirigir um cumprimento e você escolher não se sentir envaidecido.

Em outras palavras, toda pessoa constitui – mesmo sendo um escolhedor infinito – um feixe de reflexos condicionados. Eles são disparados, constantemente, por circunstâncias e por pessoas, resultando em comportamentos previsíveis. Esses reflexos condicionados são iguais ao condicionamento pavloviano. Pavlov é conhecido por demonstrar que um cão, ao receber comida sempre que se fizer soar uma campainha, começará a salivar assim que ouvir a campainha. Ou seja, o animal desenvolve um reflexo condicionado, ao associar um estímulo (comida) ao outro (som da campainha).

Também nós, devido ao condicionamento, temos respostas repetitivas e previsíveis aos estímulos do ambiente. Nossas reações parecem ser disparadas automaticamente por pessoas e circunstâncias. No entanto, esquecemos um fato: essas reações são também escolhas que fazemos a todo momento. Simplesmente estamos escolhendo inconscientemente.

Se você parar um pouco e começar a observar suas escolhas no momento em que elas ocorrem, mudará esse aspecto de inconsciência. O simples ato de observá-las transfere todo o processo do terreno do inconsciente para o do consciente. Esse procedimento – escolher e observar conscientemente – é muito enriquecedor.

Quando fizer uma escolha – qualquer uma –, faça a si mesmo duas perguntas: "Quais serão as consequências da escolha que estou fazendo?"; "Essa escolha trará felicidade a mim e aos outros ao meu redor?" A resposta à primeira questão você sentirá em seu coração e saberá imediatamente quais serão as consequências. Quanto à segunda questão, se a resposta for sim, então persista nessa escolha. Se for não, escolha outra coisa. É bem simples.

Entre a infinidade de escolhas disponíveis a cada segundo, só existe uma que trará felicidade a você e aos que estiverem por perto. E quando você faz essa escolha, ela resulta numa forma de comportamento chamada de ação correta espontânea. A ação correta espontânea é o momento certo. É a resposta certa para uma situação, no instante em que *é* dada. É a ação que nutre você e todos os que forem influenciados por ela.

Há um mecanismo muito interessante no universo para ajudar a fazer escolhas espontâneas corretas. Esse mecanismo relaciona-se com as sensações físicas. Nosso corpo conhece dois tipos de sensações: uma *é* a do conforto; a outra é a do desconforto. Imediatamente antes de fazer uma escolha consciente, observe seu corpo enquanto faz a pergunta: "Se eu escolher isso, o que acontecerá?" Se seu corpo enviar uma mensagem de conforto, é a escolha certa. Se for uma mensagem de desconforto, a escolha não *é* adequada.

Para alguns, a mensagem de conforto e desconforto se dá na região do plexo solar. Para a maioria, no entanto, manifesta-se na área do coração. Conscientemente, preste atenção nessa área do coração e pergunte a ele o que fazer. Depois, espere pela resposta – uma resposta física, na forma de sensação, mesmo que seja muito leve. O importante é que está lá, em seu corpo.

Somente o coração conhece a resposta certa. Muita gente acha que o coração é piegas e sentimental. Não é. O coração é intuitivo. É holístico. É contextual. É relacional.

DEEPAK CHOPRA

Não se orienta por perdas e ganhos. Ele está conectado ao computador cósmico, ao campo da potencialidade pura, do conhecimento puro e do poder da organização infinita, que leva tudo em conta. Às vezes, pode até parecer irracional, mas o coração tem uma capacidade mais acurada e muito mais precisa de processar dados do que qualquer outra coisa que exista nos limites do pensamento racional.

Você pode usar a *lei do carma* para gerar dinheiro e abundância e atrair para si o fluxo de todas as coisas boas, no momento que quiser. Mas, antes, precisa estar conscientemente lúcido de que seu futuro é resultado das escolhas que faz a todo momento em sua vida. Se assim agir regularmente, estará fazendo pleno uso da *lei do carma*. Quanto mais escolhas você fizer no nível da percepção consciente, mais corretas e espontâneas elas serão — tanto para si quanto para os que estão ao seu redor.

E o carma passado? Como ele influencia você agora? Há três coisas que podem ser feitas em relação a isso. Uma é pagar seus débitos do carma passado. É o que a maioria das pessoas escolhe fazer, embora inconscientemente. Isso também é uma escolha. Às vezes, há muito sofrimento envolvido no pagamento desses débitos, mas a *lei do carma* é bem clara: diz que nada do que se deve ao universo fica sem pagamento. Há um perfeito sistema de acerto de contas nesse universo, uma constante troca de energia "de" e "para".

A segunda coisa que você pode fazer é transmutar, ou transformar, seu carma numa experiência mais agradável. Esse é um processo muito interessante. Você pode se perguntar, quando está pagando um débito: "O que estou aprendendo com esta experiência? Por que isto está acontecendo? Qual é a mensagem que o universo está me transmitindo? Como posso tornar útil esta experiência para meus semelhantes?"

Ao fazer isso, você enxerga a semente da oportunidade e ata essa semente da oportunidade ao seu *darma*, que é o seu propósito de vida e do qual falaremos na sétima lei espiritual do sucesso. Isso lhe permitirá transmutar o carma numa nova expressão.

Por exemplo, se você quebrar a perna jogando bola, pergunte-se: "O que esta experiência está me ensinando, que mensagem o universo está me enviando?" Talvez seja a mensagem de que você precisa diminuir o ritmo e ter mais cuidado e atenção com o seu corpo da próxima vez. E se o seu darma for transmitir aos outros o que sabe, então, ao se perguntar, "Como posso tornar essa experiência útil para meus semelhantes?", talvez você decida compartilhar o que aprendeu escrevendo um livro, ou jogando bola com mais cuidado. Talvez até desenhe um sapato especial, ou um protetor de perna, que evite esse tipo de ferimento a outras pessoas.

Dessa forma, enquanto paga seu débito com o carma do passado, você está convertendo a adversidade num benefício que poderá lhe trazer riquezas e satisfações. É a transmutação de seu carma numa experiência positiva. Você não se livra realmente do carma, mas consegue usar um episódio ligado a ele para criar um carma novo e positivo.

A terceira maneira de lidar com o carma é transcendê-lo. Ou seja, é entrar em contato com o seu íntimo, com a alma, com o espírito. É como lavar roupa suja num riacho. A cada vez que você mergulha a roupa na água, elimina algumas manchas. Continua mergulhando e a roupa vai ficando cada vez mais limpa. Você limpa, ou transcende os obstáculos de seu carma, entrando e saindo de seu Eu profundo, de seu íntimo. Isso é feito por meio da prática da meditação.

Todas as nossas ações são episódios ligados ao carma. Beber uma xícara de café, por exemplo, é um deles. A ação gera memória; a memória tem a capacidade ou o potencial de gerar desejo; e o desejo gera novamente a ação. Os processadores operacionais de sua alma são o carma, a memória e o desejo. A alma é um feixe de consciência que contém as sementes do carma, da memória e do desejo. Tornando-se consciente dessas sementes, você passa a ser um gerador

consciente da realidade. Ao se transformar em um escolhedor consciente, você passa a gerar ações transformado-
ras para si e para os que estão ao seu redor. E é só isso que
precisa fazer.

E como o carma é transformador – tanto para o seu íntimo quanto para todos os que são afetados por ele –, seu
fruto será a felicidade e o sucesso.

Aplicação da lei do carma ou de causa e efeito

Você pode colocar a *lei do carma* ou *de causa e efeito* em ação assumindo o compromisso de dar os seguintes passos:

1) Observar as escolhas que vai fazer hoje a todo momento. E na observação dessas escolhas, trazê-las para a percepção consciente. Ter bem claro que a melhor maneira de se preparar para todos os momentos do futuro é estar plenamente consciente do presente.

2) Toda vez que você fizer uma escolha, pergunte: "Quais serão as consequências desta escolha?" ou "Esta escolha trará satisfação e felicidade a mim e aos outros que serão afetados por ela?"

3) Pedir, então, orientação ao coração e seguir a mensagem enviada por ele de conforto ou de desconforto. Se a escolha for de conforto, entregar-se totalmente a ela. Se for de desconforto, parar para ver as consequências daquele ato com sua visão interior. Essa orientação permitirá fazer escolhas corretas espontâneas tanto para você quanto para os que o circundam.

4
A LEI DO MÍNIMO ESFORÇO

A inteligência da natureza opera pela lei do mínimo esforço...
sem ansiedade, com harmonia e amor.

E quando utilizamos as forças da harmonia, da alegria,
do amor, atraímos sucesso e boa sorte facilmente.

"O ser integral conhece sem ir,
vê sem olhar e realiza sem fazer."

– Lao-tsé

A quarta lei espiritual do sucesso é a *lei do mínimo esfor-ço*. Esta lei se fundamenta no fato de que a inteligên-cia da natureza funciona com tranquila facilidade e sem nenhuma ansiedade. Este é o princípio da mínima ação, da não resistência. É, portanto, o princípio da harmonia e do amor. Quando aprendemos esta lição da natureza, conse-guimos realizar facilmente nossos desejos.

Se você observar a natureza, verá que ela despende o mínimo de esforço em seu funcionamento. A grama não se esforça para crescer; apenas cresce. O peixe não tenta nadar; apenas nada. As flores não se esforçam para abrir; apenas desabrocham. Os pássaros não tentam voar; apenas voam. Essa é sua natureza intrínseca. A Terra não se esforça para girar sobre seu eixo. É próprio de sua natureza girar a uma velocidade estonteante e rolar pelo espaço. É da natureza dos bebês o estado de graça. É da natureza do sol brilhar. É da natureza das estrelas piscar e reluzir. E é da natureza humana materializar seus sonhos facilmente, sem qualquer esforço.

No *Veda* – conjunto de textos sagrados que constituem o fundamento da tradição religiosa e filosófica da Índia –, esse princípio é conhecido como o princípio da economia de esforço, ou do "faça menos e realize mais". Você atinge um estado em que não faz nada e realiza tudo. Isso significa que basta existir a mais leve ideia para que a manifestação dessa ideia ocorra sem qualquer esforço. O que é comumente chamado de "milagre" é, na verdade, uma expressão da *lei do mínimo esforço*.

A inteligência da natureza funciona sem qualquer esforço ou atrito, espontaneamente. Ela não é linear. É intuitiva, holística, alimentadora. E se você está em harmonia com a natureza, se está assentado no conhecimento de seu verdadeiro Eu, pode fazer uso da *lei do mínimo esforço*.

O mínimo esforço é despendido quando suas ações são motivadas pelo amor, porque a natureza se mantém unida pela energia do amor. Quando você busca exercer o poder e o controle sobre as pessoas, está desperdiçando energia.

Quando busca dinheiro e poder movido pelo egoísmo, desperdiça energia perseguindo uma ilusão de felicidade, em vez de desfrutar a felicidade do momento. Quando busca dinheiro somente para uso próprio, interrompe o fluxo de energia em direção a si mesmo e interfere na manifestação da inteligência da natureza. Mas, quando seus atos são motivados pelo amor, não há perda de energia. Ao contrário, sua energia se multiplica e acumula. A energia extra que você consegue juntar e desfrutar poderá ser canalizada para qualquer coisa que você queira, inclusive para riquezas ilimitadas.

Você pode imaginar seu corpo como um mecanismo controlador de energia. Ele pode gerar, armazenar e utilizar energia. Se você sabe como gerar, armazenar e utilizar energia de maneira eficiente, pode criar riquezas em quantidade. Mas, quando sua atenção se volta para o ego, é ele que vai consumir a maior quantidade de energia. Se o seu ponto de referência interno for o ego, se você buscar poder e controle sobre outras pessoas, ou a aprovação dos outros, vai desperdiçar muita energia.

Se essa mesma energia for liberada, ela será recanalizada e utilizada para criar qualquer coisa que você queira. Quando seu ponto de referência interno é o seu espírito, quando você é imune ao criticismo e não teme qualquer desafio, pode dominar o poder do amor e usar a energia criativamente para a experiência da riqueza e da evolução.

Em *A arte de sonhar*, Don Juan diz a Carlos Castañeda: "... Uma grande quantidade de nossa energia é usada para sustentar a nossa empáfia... Se conseguíssemos perder um pouco dessa empáfia, dois fatos extraordinários aconteceriam: liberaríamos essa energia que tenta preservar a noção ilusória de nossa grandeza e teríamos energia sobrando para vislumbrar a verdadeira grandeza do universo."

A *lei do mínimo esforço* possui três componentes básicos, três coisas que você pode fazer para pôr em prática o princípio do "faça pouco e realize muito". O primeiro componente é a aceitação. Aceitar significa simplesmente assumir o compromisso de aceitar pessoas, situações, circunstâncias e fatos, da maneira como se apresentam. Isso significa entender que *este momento é como deve ser*, porque todo o universo é como deve ser. Este momento – o que você está vivendo exatamente agora – é o ápice de todos os que você experimentou no passado. Este momento é assim porque todo o universo é assim.

Quando você luta contra este momento, está lutando contra todo o universo. Em vez disso, você pode, por exemplo, hoje, tomar a decisão de não lutar contra todo o universo, parando de lutar contra este momento. Isso envolve aceitar total e completamente este momento, aceitar as coisas como elas são e não como você gostaria que fossem. É importante entender esse mecanismo. Você pode *querer* que as coisas sejam diferentes no futuro. Mas, *neste* momento, tem de aceitá-las como são.

Quando você estiver decepcionado ou aborrecido com uma pessoa ou uma situação, lembre-se de que não está reagindo à pessoa ou à situação, mas sim aos seus sentimentos pela pessoa ou pela situação. Esses sentimentos são seus e o que você está sentindo não é culpa de mais ninguém. Quando você reconhecer e compreender isso completamente, estará pronto para assumir a responsabilidade pelo que está sentindo e mudar o que sente. E quando conseguir aceitar as coisas como são, estará pronto para assumir a responsabilidade pela situação em que se encontra e por tudo o que considera problemático.

Isso nos leva ao segundo componente da *lei do mínimo esforço*: a responsabilidade. O que significa responsabilidade? Responsabilidade é não ficar culpando alguém, ou alguma coisa, pela situação, muito menos a si mesmo. Aceitando a circunstância, o fato, o problema como se apresenta no momento, a responsabilidade passa a ser a *capacidade* de ter uma resposta criativa para aquela situação *como ela se apresenta no momento*. Todos os problemas contêm em si as sementes da oportunidade. A consciência disso permite transformar esse momento numa situação ou em algo melhor.

Quando você faz isso, todas as situações inoportunas conterão em si uma oportunidade para a criação de algo novo e belo. Todas as pessoas consideradas chatas se transformarão em seus mestres. A realidade *é* uma interpretação. Se você escolher interpretá-la por esse novo ângulo, terá muitos mestres à sua volta e muitas oportunidades para evoluir.

Sempre que se confrontar com um tirano, um atormentador, um conselheiro, um amigo, ou um inimigo (todos eles são a mesma coisa), você deve lembrar que aquele momento "é como deve ser". Todos os relacionamentos que você atrai na vida, em determinados momentos, são exatamente os que você precisa naqueles momentos. Há um significado oculto por trás de todos os fatos. Esse significado oculto está a serviço de sua própria evolução.

O terceiro componente da *lei do mínimo esforço* é a indefensibilidade. Assentar sua percepção na indefensibilidade, ou seja, desarmar seu espírito significa abrir mão da necessidade de convencer e persuadir os outros de seus pontos de vista. Se você observar as pessoas, verá que elas passam noventa e nove por cento do tempo defendendo seus pontos de vista. Se você simplesmente desistir da necessidade de defender sempre seus pontos de vista, ganha, na desistência, acesso a imensas quantidades de energia anteriormente desperdiçadas.

Quando você passa o tempo defendendo suas posições, culpando os outros, e não aceitando render-se ao momento determinado, sua vida se transforma num embate de resistências. E toda vez que você encontrar resistência, se tentar forçar a situação, ela só aumentará. Certamente você não pretende ser rígido como o carvalho oco que tomba na tempestade. Vai preferir, com certeza, ser flexível como o bambu, que se curva sob a tempestade e sobrevive.

Desista de uma vez por todas de defender intransigentemente seus pontos de vista. Quando você adota esse comportamento, evita o surgimento de discussões. Se agir dessa forma – parar de brigar e de resistir –, experimentará plenamente o momento presente, que é uma dádiva Certa vez alguém me disse: "O passado é história, o futuro é mistério, o presente é uma dádiva; é por isso que este momento chama-se 'presente'."

Se você abraçar o presente, unir-se a ele, fundir-se nele, experimentará o fogo, o brilho, a centelha de êxtase que pulsa em todos os seres sensíveis. Quando você começar a experimentar a exultação do espírito em todas as coisas vivas e à medida que for adquirindo maior intimidade com isso, sentirá o despertar de uma grande alegria interior e abandonará os terríveis fardos e empecilhos da defesa intransigente, do ressentimento e do sofrimento. Só então se sentirá leve, alegre, livre.

Se você se sentir alegre e livre, perceberá, sem a menor sombra de dúvida, que todos os seus sonhos estarão sempre disponíveis, porque seus desejos vêm da felicidade, e não da ansiedade, ou do medo. Não é preciso se justificar. Simplesmente declare a si mesmo a intenção de experimentar satisfação, prazer, alegria, liberdade, autonomia em todos os momentos de sua vida.

Assuma o compromisso de seguir o caminho da não resistência. É o caminho no qual a inteligência da natureza se abre espontaneamente, sem atrito, sem esforço. Quando você reunir a refinada combinação de aceitação, responsabilidade, indefensibilidade, sentirá a vida fluindo com tranquila facilidade.

E se você permanecer aberto a todos os pontos de vista — sem se prender rigidamente a qualquer um deles —, seus sonhos e desejos fluirão com os desejos da natureza. Então, você poderá liberar suas intenções, sem se prender a elas, e esperar pelo momento apropriado para que seus desejos desabrochem e se transformem em realidade. Pode estar certo de que, na hora certa, eles se manifestarão. Esta é a *lei do mínimo esforço*.

Aplicação da lei do mínimo esforço

Você pode colocar a *lei do mínimo esforço* em ação assumindo o compromisso de dar os seguintes passos:

1) Praticar a *aceitação*, dizendo: "Hoje aceitarei pessoas, situações, circunstâncias, fatos como eles se manifestarem." Saber que *o momento é como deve ser*, porque todo o universo é assim. Não se voltar contra todo o universo, lutando contra o momento presente. Dizer a si mesmo: "Minha aceitação será total e completa; verei as coisas como são no momento em que ocorrerem e não como eu gostaria que fossem."

2) Aceitando as coisas como são, assumir a *responsabilidade* pela sua situação e por todos os fatos que considera problemáticos. Ter bem claro que assumir a responsabilidade é não culpar alguém, ou alguma coisa, por sua situação. Saber, também, que todo problema traz em si uma oportunidade e que a consciência das oportunidades vai permitir olhar para o momento problemático e transformá-lo em imenso benefício.

3) Assentar sua percepção, hoje, na *indefensibilidade*. Desistir da necessidade de defender seus pontos de vista e de convencer e persuadir os outros a aceitá-los. Permanecer aberto a todos os pontos de vista e não se prender a qualquer um deles.

5

A LEI DA INTENÇÃO
E DO DESEJO

*É inerente a toda intenção e a todo desejo
o mecanismo de sua realização... a intenção e o desejo
têm, no campo da potencialidade pura, o poder da
organização infinita.
E quando introduzimos uma intenção no campo fértil
da potencialidade pura, colocamos essa infinita
organização a nosso serviço.*

No principio havia o desejo, a primeira semente da mente.
Os sábios, meditando em silêncio, descobriram em
sua sabedoria a ligação entre o existente e o não existente.

— *Hino da Criação*, Rig Veda

A quinta lei espiritual do sucesso é a *lei da intenção e do desejo*. Essa lei fundamenta-se no fato de que a energia e a informação existem em toda parte da natureza. De fato, no nível do campo quântico, não há nada além de energia e informação. Campo quântico é apenas outro nome do campo da consciência pura ou da potencialidade pura. E esse campo quântico é influenciado pela intenção e pelo desejo. Vamos examinar o processo detalhadamente.

Uma flor, uma árvore, uma folha, o corpo humano, o arco-íris, quando reduzidos a seus componentes essenciais, são energia e informação. Todo o universo, em sua natureza essencial, é *movimento* de energia e de informação. A única diferença entre você e uma árvore é o conteúdo de energia e informação que carregam.

Tanto você quanto a árvore, em nível físico, são compostos dos mesmos elementos: em sua maior parte, carbono e também hidrogênio, nitrogênio e outros elementos em quantidades menores. Esses elementos podem ser comprados numa loja por pequenas quantias de dinheiro. A diferença entre você e a árvore, portanto, não é o carbono, o hidrogênio, o oxigênio. Na verdade, você e a árvore estão constantemente trocando carbono e hidrogênio entre si. A diferença real entre ambos está na energia e na informação.

No âmbito da natureza, você e eu somos espécies privilegiadas. Temos um sistema nervoso capaz de nos tornar *conscientes* do conteúdo energético e informativo desse campo localizado, que dá origem ao nosso corpo físico. Nós *experimentamos* esse campo subjetivamente na forma de pensamentos, sentimentos, emoções, memórias, instintos, impulsos, princípios. Objetivamente, o mesmo campo é experimentado como corpo físico e, por meio deste, como mundo. Mas é tudo a mesma coisa. Por isso os nossos ancestrais exclamavam: "Eu sou isto, você é isto, tudo é isto, e isto é só o que há."

Seu corpo não está separado do corpo do universo porque, segundo a teoria quântica, não há limites bem definidos. Você é como uma agitação, uma ondulação, uma flutuação, um redemoinho, uma perturbação localizada no campo quântico maior. O grande campo quântico – o universo – é o seu corpo estendido.

O sistema nervoso humano é capaz de perceber a energia e a informação contidas em seu próprio campo quântico. E mais: por ser a consciência humana infinitamente flexível por meio de seu maravilhoso sistema nervoso, você também é capaz de mudar conscientemente o conteúdo informativo, que dá origem ao seu corpo físico. Como você pode mudar conscientemente o conteúdo energético e informativo no *próprio* quantum do corpo mecânico, também, pode influenciar o conteúdo energético e informativo de seu corpo estendido – o ambiente ao seu redor, o mundo – e fazer com que as coisas se manifestem nele.

A mudança consciente acontece por meio da manifestação de duas qualidades inerentes à consciência: a atenção e a intenção. A atenção energiza; a intenção transforma. Quando você concentra sua atenção em alguma coisa, ela fica mais forte em sua vida. Ao contrário, quando você a afasta, a coisa enfraquece, desintegra e desaparece. A intenção, por sua vez, detona a transformação da energia e da informação. A intenção organiza a sua realização.

A qualidade da *intenção* no objeto da *atenção* rege uma infinidade de acontecimentos no tempo-espaço de modo a alcançar o resultado pretendido, desde que a pessoa siga as outras leis espirituais do sucesso. Tudo isso porque a intenção, no terreno fértil da atenção, tem poder de organização infinita. Este poder significa a capacidade de organizar um infinidade de eventos no tempo-espaço, todos ao mesmo tempo. Vemos a expressão dessa infinita organização em cada folha de grama, em cada botão de flor, em cada célula de nosso corpo. Nós a vemos em todas as coisas vivas.

No campo da natureza, tudo se correlaciona e se interliga. Vemos a marmota sair da terra e sabemos que ela vai saltar. Em determinada época do ano, vemos os pássaros migrarem numa certa direção. A natureza é uma sinfonia, e essa sinfonia está sendo silenciosamente regida no terreno supremo da criação.

O corpo humano é outro bom exemplo dessa sinfonia. Uma única célula do corpo humano realiza cerca de seis milhões de atividades por segundo, e ainda sabe o que todas as outras células estão fazendo, ao mesmo tempo. O corpo humano pode tocar música, matar germes, fazer filhos, recitar poesia, monitorar o movimento das estrelas, tudo ao mesmo tempo, porque o campo das correlações infinitas faz parte de seu campo informativo.

O notável em relação ao sistema nervoso do ser humano é que ele pode comandar esse poder de organização infinita por meio da intenção consciente. A intenção, na espécie humana, não é fixa, nem está presa a uma teia rígida de energia e informação. Tem flexibilidade infinita. Em outras palavras, desde que você não viole qualquer das leis da natureza, poderá, por intermédio de sua intenção, literalmente, comandar as leis da natureza para realizar seus sonhos e desejos.

Podemos fazer com que o computador cósmico, com seu poder de organização infinita, trabalhe para nós. Podemos entrar no supremo terreno da criação e inserir uma intenção. Ao fazer isso, ativamos o campo das correlações infinitas.

A intenção lança as bases para o fluxo tranquilo, espontâneo e natural da potencialidade pura, que busca expressar-se do não manifesto ao manifesto. A única exigência é que você use sua intenção em benefício do ser humano. Isso acontece espontaneamente quando você está em alinhamento com as sete leis espirituais do sucesso.

A intenção é o poder que move o desejo. A intenção por si só é muito poderosa, porque é o desejo desvinculado do resultado. O desejo sozinho é fraco, porque na maioria das pessoas é atenção vinculada. A intenção é o desejo com estrita aderência a todas as outras leis, mas particularmente à *lei do distanciamento,* que é a sexta lei espiritual do sucesso.

A intenção e o distanciamento combinados levam à consciência do momento presente centrado na vida. E quando uma ação acontece com a consciência do momento presente, ela é mais eficiente. Sua *intenção* é para o futuro, mas sua *atenção* está no presente. Se sua atenção está no presente, a intenção futura se manifestará, pois o futuro é criado no presente. Você tem de aceitar o presente como ele é. Aceite o presente e pretenda o futuro. O futuro é algo que sempre pode ser criado a partir da intenção distanciada, mas nunca se deve combater o presente.

O passado, o presente e o futuro são propriedades da consciência. O passado representa as recordações, a memória. O futuro é antecipação. O presente é consciência. Portanto, o tempo é movimento do pensamento. Tanto passado quanto futuro são frutos da imaginação. Somente o presente é consciência, é real, é eterno. Ele é. É o potencial do tempo-espaço, da matéria, da energia. É o eterno campo das possibilidades experimentando-se como forças abstratas, sejam elas de luz, calor, eletricidade, magnetismo ou gravidade. Essas forças não estão nem no passado nem no futuro. Elas simplesmente existem.

Nossa interpretação dessas forças abstratas permite a experiência do fenômeno concreto e da forma. Relembrar interpretações das forças abstratas produz a experiência do passado. Interpretações antecipatórias dessas mesmas forças criam o futuro. Tanto uma quanto a outra são qualidades da atenção na consciência. Quando essas qualidades estão livres dos pesos do passado, a ação no presente torna-se um terreno muito mais fértil para a criação do futuro.

A intenção assentada na liberdade, distanciada do presente, serve de catalisador a uma mistura certa de matéria, energia e eventos no tempo-espaço para criar tudo o que você quiser.

Se você tiver consciência do momento presente centrado na vida, os obstáculos imaginários – que são mais de noventa por cento dos obstáculos percebidos – desintegram-se e desaparecem. Os restantes cinco a dez por cento dos obstáculos percebidos podem ser transmutados em oportunidades, por meio da intenção unidirecionada.

Intenção unidirecionada é qualidade da atenção. Ela é inflexível em seus rígidos propósitos. Consiste em manter a atenção num objetivo almejado com determinação suficiente para impedir que os obstáculos consumam e dissipem a qualidade focalizada de sua atenção. Os obstáculos são, assim, completamente excluídos de sua consciência. Você passa, então, a manter uma serenidade inabalável ao mesmo tempo em que está apaixonadamente comprometido com seu objetivo. Esse é o poder da consciência distanciada e da intenção unidirecionada e focalizada, atuando simultaneamente.

Se aprender a usar o poder da intenção, você poderá obter qualquer coisa que desejar, serenamente. Conseguirá também, por meio de enorme esforço e tentativas, alcançar os resultados pretendidos. Mas isso tem um preço: o preço do estresse, do ataque cardíaco, do mau funcionamento de seu sistema imunológico.

É mais fácil, portanto, e melhor, seguir os cinco passos da *lei da intenção e do desejo*. Quando você opta por essa forma de realizar seus desejos, a intenção gera seu próprio poder:

1) Escorregue no espaço vazio, o que significa centrar sua atenção naquele espaço silencioso entre pensamentos, entrar no silêncio, naquele nível do ser que é seu estado essencial.

2) Assentado nesse estado do ser, libere suas intenções e seus desejos. Se você estiver realmente no espaço vazio entre pensamentos, não terá qualquer pensamento, qualquer intenção. Mas, ao sair desse espaço silencioso – quando estiver no limite desse espaço e do pensamento –, introduza a intenção. Se você tem vários objetivos, escreva-os num papel e focalize neles a sua intenção, antes de entrar no espaço vazio. Se quer uma carreira de sucesso, por exemplo, entre no vazio com essa intenção e já a encontrará lá, como uma leve cintilação em sua consciência. Liberar suas intenções e seus desejos significa plantá-los no terreno fértil da potencialidade pura e esperar que floresçam na hora certa. Você não vai querer desencavar as se-

mentes de seus desejos para ver se germinaram, nem ficar preso a elas para saber de que forma vão se abrir. Simplesmente deseja que germinem.

3) Permaneça no estado de autorreferência. Isso significa reter-se na consciência do verdadeiro Eu – em seu espírito, em sua conexão com o campo da potencialidade pura. Significa, também, não olhar para si mesmo com os olhos do mundo, ou deixar-se influenciar pelas opiniões e críticas dos outros. Uma maneira útil de conservar esse estado de autorreferência *é* guardar seus desejos para si. Não os compartilhe com mais ninguém, a menos que o outro tenha o mesmo desejo e o compartilhe intimamente com você.

4) Desvincule-se dos resultados. Ou seja, desista do apego rígido a um resultado específico para viver na sabedoria da incerteza. Desfrute todos os momentos da jornada de sua vida, mesmo sem saber quais serão os resultados.

5) Deixe que o universo cuide dos detalhes. Suas intenções e seus desejos, quando liberados no espaço silencioso entre os pensamentos, têm um poder de organização infinita. Deixe que esse poder de organização infinita da intenção cuide de todos os detalhes para você.

Lembre-se de que sua verdadeira natureza é a do espírito puro. Leve sempre consigo a consciência do espírito, libere gentilmente os seus desejos e o universo cuidará de tudo para você.

Aplicação da lei da intenção e do desejo

Você pode pôr a *lei da intenção e do desejo* em ação assumindo o compromisso de dar os seguintes passos:

1) Fazer uma lista de todos os seus desejos. Carregar essa lista para todos os lugares. Olhar para ela antes de entrar em silêncio e meditação. Olhar antes de adormecer à noite. Olhar quando acordar pela manhã.

2) Liberar a lista de seus desejos e a soltar no ventre da criação. Confiar. Se as coisas não saírem como você deseja, há uma razão para isso. O plano cósmico, com certeza, terá desígnios maiores para você do que os que possa conceber.

3) Lembrar de praticar a consciência do momento presente em todas as ações. Não permitir que os obstáculos consumam e dissipem a qualidade da atenção no momento presente. Aceitando o presente *como ele é*, o futuro se manifestará nas intenções e nos desejos mais caros e profundos.

6

A LEI DO DISTANCIAMENTO

*No distanciamento está a sabedoria da incerteza...
na sabedoria da incerteza está a libertação do passado,
ao conhecido, que é a prisão dos velhos condicionamentos.
E na mera disponibilidade para o desconhecido,
para o campo de todas as possibilidades,
rendemo-nos à mente criativa que rege o universo.*

Como dois pássaros dourados pousados no mesmo galho,

intimamente amigos, o ego e o Eu habitam o mesmo corpo.

O primeiro ingere os frutos doces e azedos da árvore

da vida; o segundo tudo vê em seu distanciamento.

— Mundaka Upanishad

A sexta lei espiritual do sucesso é a *lei do distanciamento*. Segundo esta lei, para se conseguir qualquer coisa na natureza é preciso desistir do apego a ela. Isso não significa desistir da intenção de criar um desejo. Ou seja, você não desiste da intenção e não desiste do desejo. Abandona, apenas, o apego aos resultados.

É uma atitude muito poderosa. No momento em que você desistir de seu apego aos resultados, misturando, simultaneamente, intenção unidirecional com distanciamento, terá tudo o que deseja. O distanciamento permite alcançar qualquer coisa porque se baseia em sua crença inquestionável no poder de seu verdadeiro Eu.

Já o apego está baseado no medo e na insegurança – a necessidade de segurança está fundamentada no desconhecimento do verdadeiro Eu. A fonte de riqueza, de abundância e de qualquer coisa no mundo físico é o Eu. É a consciência que sabe como satisfazer a todas as necessidades. O resto é simbólico: casas, carros, contas bancárias, roupas, aviões. Os símbolos são transitórios; eles vêm e vão. Perseguir símbolos é como instalar-se no mapa, e não no território. Isso cria ansiedade e acaba levando você a se sentir vazio e oco por dentro, porque está trocando seu Eu pelos símbolos do Eu.

O apego vem da pobreza de consciência, porque o apego *é* sempre por símbolos. Distanciamento é sinônimo de consciência rica, porque oferece liberdade para criar. O envolvimento com distanciamento cria alegria e felicidade. Dessa forma, os símbolos de riqueza são alcançados espontaneamente, sem qualquer esforço. Sem distanciamento, somos prisioneiros da impotência, da desesperança, das necessidades mundanas, das preocupações triviais, do desespero mudo, da falta de humor – traços distintivos de vida medíocre e de consciência empobrecida.

A verdadeira consciência é a habilidade de ter tudo o que se quer, na hora que se quer, com o mínimo esforço. Para viver esta experiência, você tem de estar apoiado na sabedoria da incerteza. Na incerteza, você encontrará a liberdade para criar o que quiser.

As pessoas buscam constantemente segurança. Você descobrirá que buscar segurança é, na verdade, algo muito efêmero. Até o apego ao dinheiro é sinal de insegurança. Você poderia dizer: "Quando eu tiver X milhões de dólares, estarei seguro, serei financeiramente independente e poderei me aposentar; aí poderei fazer o que realmente desejo." Mas isso nunca acontece — *nunca* acontece.

Aqueles que buscam segurança perseguem-na por toda a vida e nunca a encontram. Ela é sempre ilusória, efêmera, porque a segurança nunca pode vir só do dinheiro. O apego ao dinheiro criará sempre insegurança, por mais que você o tenha no banco. De fato, as pessoas que têm mais dinheiro são as mais inseguras.

A busca de segurança é uma ilusão. Para a tradicional sabedoria ancestral, a solução desse dilema está na sabedoria da insegurança, ou na sabedoria da incerteza. Isso quer dizer que a busca de segurança e de certeza é, na verdade, um *apego* ao conhecido. E o que é ele, afinal? O conhecido é o nosso passado. O conhecido nada mais é do que a prisão dos velhos condicionamentos. Não há qualquer evolução nisso — absolutamente nenhuma. E quando não há evolução, há estagnação, desordem, ruína.

A incerteza, por sua vez, é terreno fértil para a criatividade e para a liberdade. Incerteza significa entrar no desconhecido em todos os momentos de nossa existência. O desconhecido é o campo de todas as possibilidades, sempre frescas, sempre novas, sempre abertas à criação de novas manifestações. Sem a incerteza e o desconhecido, a vida é apenas a repetição viciada de memórias velhas. Você se torna vítima do passado e seu torturador de hoje é o que sobrou de você ontem.

Renuncie ao seu apego ao conhecido, entre no desconhecido e você estará no campo de todas as possibilidades. A mera disponibilidade de entrar no desconhecido lhe oferecerá a sabedoria da incerteza que há nele. Isso significa que em todos os momentos da vida você terá excitação, aventura, mistério. Experimentará a diversão da vida – a magia, a celebração, o contentamento, a exultação de seu próprio espírito.

Poderá, então, diariamente, procurar a excitação do que acontece no campo de todas as possibilidades. Se você vivenciar a incerteza, estará no caminho certo – por isso, não desista. Não é preciso ter uma ideia pronta e acabada do que você vai estar fazendo nas próximas semanas, ou no ano que vem, porque, se você já sabe o que vai acontecer e se apega a essa ideia, abre mão de toda a gama de possibilidades.

Uma das características do campo de todas as possibilidades são as correlações infinitas. Esse campo consegue reger uma infinidade de eventos no tempo-espaço para conseguir os resultados pretendidos. Mas, quando você está apegado, sua intenção fica presa num rígido espaço mental. Assim, a fluidez, a criatividade, a espontaneidade inerentes àquele campo se perdem. Quando você se apega a uma ideia pronta, seu desejo, antes fluido e flexível, fica congelado numa estrutura rígida que interfere em todo o processo de criação.

A *lei do distanciamento* não interfere na *lei da intenção e do desejo* no estabelecimento de um objetivo. Você continua com sua intenção de seguir por uma certa direção, ainda tem um objetivo. Entretanto, entre o ponto A e o ponto B há infinitas possibilidades. Graças à incerteza dessas infinitas possibilidades, você poderá mudar de direção no momento que encontrar um ideal maior, que descobrir algo mais excitante. É também improvável que você force a solução de problemas, pois isso irá impedi-lo de estar alerta às oportunidades. A *lei do distanciamento* acelera todo o processo de evolução. Quando você entende esta lei, não se sente compelido a forçar soluções. Caso contrário, só vai criar novos problemas. Mas, se dirige sua atenção para a incerteza e observa essa incerteza enquanto espera a solução emergir do caos e da confusão, o que aparecer será fabuloso e excitante.

O estado de alerta – a prontidão para o presente, no campo da incerteza – encontra seu objetivo e sua intenção, o que permite a você aproveitar a oportunidade. O que é a oportunidade? Ela está contida em todos os problemas que você tem na vida. Em cada um desses problemas, está a oportunidade de um benefício maior. Com essa percepção, você se abre para toda a gama de possibilidades — o que preserva o mistério, o encantamento, a excitação, a aventura da vida.

Todo problema pode ser visto como uma oportunidade de benefícios maiores. Fica-se alerta para as oportunidades quando se está assentado na sabedoria da incerteza. E quando a prontidão encontra a oportunidade, a solução surge espontaneamente.

O resultado é o que se chama comumente de "boa sorte". Sorte nada mais é do que a prontidão e a oportunidade caminhando juntas. Se as duas estiverem misturadas à observação atenta do caos, daí emergirá uma solução que será evolucionariamente benéfica para você e para todos os que estiverem a seu redor. Essa é a perfeita receita do sucesso. Ela está baseada na *lei do distanciamento*.

Aplicação da lei do distanciamento

Você pode colocar a *lei do distanciamento* em ação assumindo o compromisso de dar os seguintes passos:

1) Comprometer-se, hoje, com o distanciamento. Dar a si próprio e aos outros a liberdade de ser o que é. Evitar a imposição rígida de suas ideias sobre como as coisas devem ser. Não forçar soluções de problemas, criando, assim, novos problemas. Participar de tudo, mas com envolvimento distanciado.

2) Transformar a incerteza em um ingrediente essencial da própria experiência. Na disponibilidade para aceitar a incerteza, as soluções emergirão espontaneamente do próprio problema, da própria confusão, da desordem, do caos. Quanto mais incertas forem as coisas, mais seguro deverá se sentir, porque a incerteza, você é o caminho da liberdade. Por meio da sabedoria da incerteza, você encontrará segurança.

3) Entrar no campo de todas as possibilidades e antecipar a excitação que pode ocorrer quando se está aberto a uma infinidade de escolhas. Quando você agir assim, experimentará toda a diversão, toda a magia, todo o mistério, toda a aventura da vida.

7
A LEI DO DARMA
OU DO PROPÓSITO DE VIDA

*Todos têm um propósito de vida... um dom singular
ou um talento único para dar aos outros.
E quando misturamos esse talento singular
com benefícios aos outros, experimentamos o êxtase
da exultação de nosso próprio espírito — entre todos,
o supremo objetivo.*

Quando você está trabalhando, o passar das horas
deve soar como música extraída de uma flauta.
... E o que é trabalhar com amor? É como tecer
uma roupa com fios que vêm do coração como
se fosse o seu bem-amado a usá-la...

— Kalil Gibran, *O profeta*

A sétima lei espiritual do sucesso é a *lei do darma*. A palavra darma vem do sânscrito e significa "propósito de vida". Segundo a *lei do darma*, assumimos uma forma física para cumprir um propósito na vida. O campo da potencialidade pura é divindade em essência. É o divino assumindo a forma humana para cumprir um propósito.

De acordo com esta lei, você tem um talento singular e uma maneira única de expressá-lo. Existe alguma coisa que você consegue fazer melhor do que todo mundo. E, para cada talento singular, em sua forma única de se expressar, existem necessidades específicas. Quando essas necessidades se combinam com a expressão criativa de seu talento, surge a fagulha que cria a riqueza.

Se você transmitir este pensamento às crianças, poderá ver os seus efeitos. Fiz isso com meus filhos. De vez em quando, eu falava que havia uma razão para eles estarem aqui e que cada um teria de descobrir por si mesmo que razão era essa. Desde os quatro anos de idade, eles *ouviram* isso. Também ensinei-lhes a meditar quando tinham mais ou menos essa idade. Eu lhes dizia sempre: "Não quero que vocês se preocupem em ganhar muito dinheiro. Se não forem capazes disso quando crescerem, eu mesmo providenciarei seu sustento, portanto, não se preocupem. Não quero que o objetivo de suas vidas seja o de ser um sucesso na escola, nem o de ter as melhores notas, ou o de frequentar as melhores faculdades. Mas quero que se perguntem como poderão descobrir o seu talento e servir à humanidade, pois cada um de vocês tem um talento único que ninguém mais tem. E cada um tem uma forma de expressar esse talento que mais ninguém tem." O resultado é que eles acabaram indo para as melhores faculdades e são únicos naquilo que os torna economicamente autossuficientes, porque estão *concentrados* no *que vieram fazer aqui.* É essa, portanto, a *lei do darma.*

A *lei do darma* apresenta três componentes. O primeiro é o de que estamos aqui para encontrar nosso verdadeiro Eu, para descobrir que nosso verdadeiro Eu é espiritual, que somos essencialmente seres espirituais expressos numa forma física. Não somos seres humanos que de vez em quando têm experiências espirituais. Ao contrário, somos seres espirituais que de vez em quando têm experiências humanas.

Estamos aqui para descobrir nosso Eu superior, ou espiritual. Essa é a primeira coisa que se cumpre na *lei do darma*. Precisamos descobrir por nós mesmos que temos em nosso interior um embrião de deus ou deusa desejoso de nascer e de expressar sua divindade.

O segundo componente é o de que devemos expressar nosso talento singular. *A lei do darma* diz que todo ser humano tem um talento único. Ou seja, você tem um talento só seu. Ele *é* único em sua expressão e tão específico que ninguém mais em todo o planeta tem um igual, ou maneira parecida de expressá-lo. Isso significa que há uma coisa que você pode fazer e de um jeito melhor do que qualquer outra pessoa sobre a terra. Quando você está fazendo essa coisa, perde a noção do tempo. E quando está expressando esse talento único — muita gente tem mais de um —, você penetra na consciência atemporal.

O terceiro componente é o de que devemos servir à humanidade. Para isso, devemos fazer as seguintes perguntas: "Como posso ajudar? Como posso ajudar a todos com quem tenho contato?"

Quando você combina a capacidade de expressar seu talento único com benefícios à humanidade, está fazendo pleno uso da *lei do darma*. Agindo assim, e somando a experiência de sua própria espiritualidade, o campo da potencialidade pura, não há *meios* de você não ter acesso à abundância ilimitada, porque essa é a *verdadeira* forma de se obter abundância.

E não se trata de abundância passageira. Ela é permanente por causa de seu talento único, de sua maneira específica de expressá-lo, dos benefícios e dedicação a seus semelhantes, que descobriu ao se perguntar: "Como posso ajudar?", em vez de "O que vou ganhar com isso?"

A pergunta "O que vou ganhar com isso?" é o diálogo interior do ego. A pergunta "Como posso ajudar?" é o diálogo interior do espírito. O espírito é aquele domínio de nossa consciência em que experimentamos nossa universalidade. Ao mudar seu diálogo interior – de "O que ganho com isso?" para "Como posso ajudar?" –, automaticamente você está indo além do ego e entrando no domínio do espírito. Embora a meditação seja o melhor caminho para entrar no domínio do espírito, a mudança de seu diálogo interior para "Como posso ajudar?" também dará acesso a ele, ao domínio da consciência onde você experimenta a sua universalidade.

Se você quiser fazer uso pleno da *lei do darma*, terá de assumir alguns compromissos.

O primeiro é o de procurar seu Eu superior, que está além do ego. Isso você consegue por meio de práticas espirituais.

O segundo é o de descobrir seus talentos únicos. E, ao encontrá-los, alegrar-se, porque o processo do prazer ocorre quando se entra na consciência atemporal. É quando estamos em estado de graça.

O terceiro compromisso é o de se perguntar como poderá servir melhor à humanidade. Você deve simplesmente dizer: "Vou responder a essa pergunta e depois colocar a resposta em prática. Vou usar meus talentos únicos para suprir as necessidades de meus semelhantes. Vou combinar essas necessidades com meu desejo de ajudar e servir aos outros."

E, depois, sentar e elaborar uma lista de respostas a essas duas questões. Pergunte-se, quando o dinheiro não *é* problema e se você tem todo o tempo do mundo, o que faria. Se responder que continuaria fazendo o que faz hoje, então, já está em seu *darma*, porque tem *paixão* pelo que faz e está expressando seus talentos singulares. Em seguida, pergunte-se como servir melhor à humanidade. Responda à pergunta e coloque em prática a resposta.

Descubra a sua divindade, encontre seu talento único, use-o para servir à humanidade e você gerará toda a riqueza que quiser. Quando sua expressão criativa combina-se com as necessidades de seus semelhantes, a riqueza flui espontaneamente do não manifesto ao manifesto, do reino do espírito ao mundo da forma física. Você passa a experimentar sua vida como uma expressão milagrosa da divindade. Não só de vez em quando, mas o tempo todo. E você vai conhecer a verdadeira alegria e o verdadeiro significado do sucesso – o êxtase e a exultação de seu próprio espírito.

Aplicação da lei do darma ou do propósito de vida

Você pode colocar a *lei do darma* em ação assumindo o compromisso de dar os seguintes passos:

1) Nutrir amavelmente, hoje, a divindade que habita em você, no fundo de sua alma. Prestar atenção ao seu espírito, que anima seu corpo e sua mente. Despertar desse profundo sono dentro de seu coração. Carregar consigo a consciência da atemporalidade, do ser eterno, em todas as experiências limitadas pelo tempo.

2) Elaborar uma lista de seus talentos únicos. Depois, outra lista das atividades que adora realizar quando está expressando esses talentos. Diga, então: "Quando expresso meus talentos e os ponho a serviço da humanidade, perco a noção do tempo e crio abundância em minha vida, bem como na vida de outros."

3) Perguntar a si mesmo diariamente: "Como posso servir?" e "Como posso ajudar?" As respostas a essas perguntas permitirão ajudar e servir a seus semelhantes, com amor.

CONCLUSÃO

❦

Quero conhecer os pensamentos de Deus...
O resto é detalhe.

— Albert Einstein

A mente universal coreografa todas as coisas que estão acontecendo em bilhões de galáxias com precisão e inteligência infalíveis. Essa inteligência é o máximo. É superior. Permeia cada fibra da existência: da menor à maior, do átomo ao cosmos. Tudo o que está vivo é expressão da inteligência superior. E essa inteligência opera por meio das sete leis espirituais.

Se você olhar para cada célula do corpo humano, verá em seu funcionamento a expressão dessas leis. Toda célula, seja ela do estômago, do coração ou do cérebro, tem sua origem na *lei da potencialidade pura*. O DNA é um exemplo perfeito disso. É, de fato, a *expressão material* da potencialidade pura. O mesmo DNA existente em todas as células expressa-se de formas diferentes para cumprir as exigências singulares de uma célula em particular.

Cada célula opera também por meio da *lei da doação*. Ela está viva e saudável quando em seu estado de equilíbrio. Esse estado de equilíbrio é o da satisfação e da harmonia, mantido pelo constante movimento de dar e receber. Cada célula nutre a outra e é nutrida pelas demais. Há ali um permanente estado de fluxo dinâmico que nunca é interrompido. De fato, o fluxo é a própria essência da vida da célula. É mantendo esse fluxo que ela consegue receber e dar, continuando, assim, sua existência vibrante.

O mesmo acontece com a *lei do carma*, cumprida com refinamento por todas as células: em sua própria inteligência está a resposta mais apropriada, precisa e correta a toda situação no momento em que ocorre.

A *lei do mínimo esforço* também é executada primorosamente pelas células, que fazem seu trabalho com eficiência silenciosa, num estado repousante de alerta.

Já a *lei da intenção e do desejo* se efetiva por meio da utilização pelas células do poder de organização infinita da inteligência da natureza. A mais simples intenção, como a metabolização de uma molécula de açúcar, cria instantaneamente uma sinfonia de eventos no corpo, em que quantidades precisas de hormônios têm de ser secretadas em momentos precisos para converter essa molécula de açúcar em energia criativa pura.

Todas as células expressam, ainda, a *lei do distanciamento*. Elas se distanciam do resultado de suas intenções. Não hesitam nem se confundem, porque seu comportamento decorre de uma função da consciência do momento presente centrada na vida.

E manifestam a *lei do darma*. As células têm de conhecer sua própria fonte, o Eu superior, e têm de servir a seus semelhantes e expressar seus talentos únicos. As células do coração, do estômago e as imunológicas têm sua fonte no campo da potencialidade pura – no Eu superior. E por estarem diretamente vinculadas a esse computador cósmico, podem expressar seus talentos únicos com muita facilidade e consciência atemporal. Expressando seus talentos únicos, mantêm a sua integridade e a do corpo todo. O diálogo interior de cada célula do corpo humano é sempre "Como posso ajudar?" As células do coração querem ajudar as células imunológicas; estas, por sua vez, pretendem colaborar com as células do estômago e do pulmão; as do cérebro querem ouvir e auxiliar todas as outras. Cada célula do corpo tem apenas uma função: ajudar as outras.

Olhando o comportamento das células de nosso corpo, podemos observar a mais extraordinária e eficiente expressão das sete leis espirituais do sucesso. Essa é a genialidade da inteligência da natureza. Esses são os pensamentos de Deus – o resto é detalhe.

As sete leis espirituais do sucesso são princípios poderosos que o capacitarão a alcançar o autodomínio. Se você prestar atenção a essas leis e praticar os passos sugeridos neste livro, poderá desejar e receber o que quiser – riqueza, dinheiro, sucesso. Verá, também, que sua vida vai mudar, ficando mais prazerosa e abundante em todos os sentidos, porque essas leis são as mesmas que dão sentido à vida.

Há uma sequência natural de aplicação dessas leis na vida diária, que o ajudará a lembrar-se delas. A *lei da potencialidade pura* é experimentada por meio do silêncio, da meditação, do não julgamento, da comunhão com a natureza. Mas ela é ativada pela *lei da doação*, cujo princípio é saber dar o que se deseja. Se você busca a abundância, deve dar em abundância. Se quer dinheiro, deve dar dinheiro. Se deseja amor, apreço, afeição, deve saber dar amor, apreço e afeição.

A partir de seus atos na *lei da doação*, você ativa, por sua vez, a *lei do carma*. Ao criar um bom carma, tornará tudo mais fácil na vida: notará que não será necessário fazer muito esforço para satisfazer aos seus desejos. Isso, automaticamente, o fará compreender a *lei do mínimo esforço*. Assim, quando tudo ficar fácil e não exigir esforço, quando seus desejos forem satisfeitos, você começará, esponta-

DEEPAK CHOPRA

neamente, a entender a *lei da intenção e do desejo.* Satisfazer seus desejos com tranquila facilidade permitirá que você pratique a *lei do distanciamento.*

Por fim, quando você começar a entender todas essas leis e passar a focalizar seu verdadeiro propósito de vida, chegará à *lei do darma.* Com a utilização dessa lei, ao expressar seus talentos singulares para satisfazer às necessidades de seus semelhantes, você receberá tudo o que quiser e quando quiser. Ficará livre e jubiloso – expressão do amor ilimitado.

Somos todos viajantes de uma jornada cósmica – poeira de estrelas, girando e dançando nos torvelinhos e redemoinhos do infinito. A vida é eterna. Mas suas expressões são efêmeras, momentâneas, transitórias. Gautama Buda, fundador do Budismo, disse certa vez:

Nossa existência é transitória como as nuvens do outono. Observar o nascimento e a morte do ser é como olhar os movimentos da dança.
Uma vida é como o brilho de um relâmpago no céu, levada pela torrente montanha abaixo.

Nós paramos um instante para encontrar o outro, para nos conhecermos, para amar e compartilhar. É um momento precioso, mas transitório. Trata-se de um pequeno parêntese na eternidade. Se partilhamos carinho, sinceridade, amor, criamos abundância e alegria para todos nós. Esse momento de amor é valioso.

Amigo:

Em *As sete leis espirituais do sucesso* descrevo as virtudes e os princípios que me ajudaram, e procuro levá-los a inúmeras outras pessoas para que possam alcançar a satisfação espiritual e o sucesso material. Escrevo para convidá-lo a juntar-se a mim e também a milhões de pessoas em todo o mundo na Rede Global para o Sucesso Espiritual, cujo fundamento é a prática diária desses poderosos princípios orientadores.

A participação está aberta a todos os que queiram praticar as sete leis espirituais do sucesso. Descobri que é especialmente recompensador concentrar-se em uma lei a cada dia da semana, começando no domingo com a *lei da potencialidade pura* e concluindo no sábado com a *lei do darma*. Manter sua atenção numa lei espiritual vai transformar totalmente a sua vida, como transformou a minha. E, se coletivamente dirigirmos nossa atenção à mesma lei a cada dia, logo iremos alcançar uma massa crítica de pessoas bem-sucedidas que poderiam transformar a vida no planeta.

Grupos de amigos em todo o mundo já começaram a se reunir para manter a atenção numa lei a cada dia. Como fiz com minha equipe e meus amigos, sugiro a você que forme também um grupo de estudo com familiares, amigos, colegas de trabalho. Poderão reunir-se uma vez por semana para discutir as experiências de cada um com as leis espirituais. Se forem experiências dramáticas, como muitas vezes acontece, você poderá enviá-las a mim pelo correio.

Para juntar-se à Rede Global para o Sucesso Espiritual você só precisa mandar para o endereço abaixo seu nome, seu endereço e, se quiser, seu telefone e sua caixa-postal, para que possamos enviar-lhe os cartões com as sete leis e mantê-lo informado do desenvolvimento da Rede.

A criação da Rede representa a realização de um dos meus sonhos mais acalentados. Ao juntar-se à Rede Global e praticar as sete leis espirituais do sucesso, estou certo de que você conseguirá sucesso espiritual e a realização de seus desejos. Não poderia desejar-lhe bênçãos mais altas.

Com os melhores votos,

Deepak Chopra
Global Network for Spiritual Success
Post Office Box 1001
Del Mar, Califórnia, 92014

AGRADECIMENTOS

Gostaria de expressar meu carinho e minha gratidão às seguintes pessoas:

A Janet Mills, por sua dedicação a este livro desde a sua concepção até a sua conclusão.

A Rita Chopra, Mallika Chopra e Gautama Chopra, por serem a expressão viva das sete leis espirituais.

A Ray Chambers, Gayle Rose, Adrianna Nienow, David Simon, George Harrison, Olivia Harrison e Naomi Judd, por sua coragem e seu comprometimento com uma visão reverente, inspiradora, elevada, nobre e transformadora da vida.

A Roger Gabriel, Brent Becvar, Rose Bueno-Murphy e a toda a minha equipe do Instituto Sharp de Medicina Psicossomática, por serem exemplos inspiradores para todos os nossos hóspedes e pacientes.

A Deepak Singh, Geeta Singh e a toda a equipe da Quantum Publications, pela energia e pela dedicação inesgotáveis.

A Muriel Nellis, pela firme e destemida intenção de manter o mais alto nível de integridade em todas as nossas realizações.

A Richard Perl, por seu poderoso exemplo de autor-referência.

A Arielle Ford, pela fé inabalável no autoconhecimento e pelo entusiasmo e compromisso contagiantes na vida de tantas pessoas. E a Bill Elkus, pela compreensão e pela amizade.

SOBRE O AUTOR

DEEPAK CHOPRA é autor de inúmeros livros, entre eles *Saúde perfeita*, *Vida incondicional*, *Conexão saúde*, e *A cura quântica*, publicados pela BestSeller.

Suas concorridas palestras e seus livros misturam a física e a filosofia, o lado material e o espiritual da vida, a venerável sabedoria oriental e a precisão científica ocidental, obtendo resultados fantásticos.

Outros títulos de Deepak Chopra pela BESTSELLER:

A CURA QUÂNTICA

Com sua inovadora definição de medicina que busca a integração de mente, consciência, compreensão e inteligência, Deepak Chopra afirma que a cura é um processo estabelecido pelo corpo de dentro para fora. A disposição mental, a intenção e o desejo podem ser percebidos por todas as células, que passam a atuar visando à cura. A esse processo, ele conferiu o nome *cura quântica* — abordada neste livro em todos os seus aspectos biológicos e mentais. Baseando-se na ciência moderna e na sabedoria ancestral do Ayurveda, o autor relata casos reais e histórias fascinantes em apoio a um modelo de saúde e bem-estar que está em perfeita harmonia com um profundo conhecimento espiritual.

SAÚDE PERFEITA

De acordo com a milenar medicina indiana, a humanidade está dividida em três tipos físicos, cada um com características peculiares. A partir da compreensão da forma como cada indivíduo funciona, Deepak Chopra, médico internacionalmente reconhecido e autor de prestigiados *best-sellers*, apresenta um amplo programa de alimentação, exercícios, meditação e massagens que combinam conceitos da medicina indiana tradicional e da ciência moderna. Aplique a sabedoria Ayurveda na sua vida diária para emagrecer, reduzir o estresse, promover a integração neuromuscular e transcender às limitações causadas por doenças e pelo envelhecimento até obter a *saúde perfeita*.

A FONTE DA JUVENTUDE
Peter Kelder

Este precioso livro revela os segredos dos lamas tibetanos para deter a ação do tempo e minimizar os efeitos negativos do envelhecimento. Baseado em um ritual mágico praticado há milênios nos mosteiros do Tibete, o sistema consiste em um conjunto de exercícios físicos que, se praticados diariamente, são a chave para a vitalidade, a saúde e a juventude perenes. Seus efeitos imediatos já foram comprovados por milhões de pessoas: melhora na aparência, voz e postura, maior capacidade de memorização e alívio de mal-estares.

A FONTE DA JUVENTUDE
LIVRO 2
Harry R. Lynn (ed.)

Este LIVRO 2 esclarece definitivamente aspectos do livro de Peter Kelder, *A Fonte da Juventude*, que poderiam suscitar dúvidas. Complementa a prática dos Cinco Ritos com exercícios alternativos e informações mais detalhadas sobre dieta, respiração, energética da voz, do som e das cores, meditação e ioga para alcançar um estado de plenitude física, mental e emocional, uma aparência mais jovem e uma vida mais longa e saudável.

FELICIDADE: A ESCOLHA É SUA
Charles C. Manz

Às vezes as emoções nos fazem perder o controle. Gritamos, choramos, ficamos paralisados ou agimos compulsivamente. FELICIDADE: A ESCOLHA É SUA oferece 25 estratégias de disciplina emocional para o total domínio de suas emoções. São orientações que associam lógica e simplicidade num programa que vai lhe ensinar como entender e aprender a reagir aos seus mais intensos e inesperados sentimentos, tornando-se uma verdadeira fortaleza emocional e superando as limitações e os obstáculos que o descontrole emocional pode lhe causar.

VOCÊ PODE CURAR SUA VIDA
Louise L. Hay

Louise L. Hay. Traz uma mensagem ao mesmo tempo simples e poderosa: "Se você realmente quiser, se estiver disposto a trabalhar a energia da sua mente, quase tudo poderá ser curado." Com aconselhamentos, terapias caseiras e novos padrões de pensamento, VOCÊ PODE CURAR SUA VIDA explica que crenças e ideias negativas frequentemente são a causa de muitas doenças e que sentimentos como ressentimento, críticas, culpa e ódio se voltam contra nós. Mude seu modo de pensar e melhore sua qualidade de vida com uma leitura agradável em uma edição com ilustrações a cores belíssimas.